늦가을 길 사랑

정민기 시집

시인의 말

아직 나는 쓰고 있다.
구름 한 조각처럼
떠다니는 시를 쓰기 위해

2023년 늦가을을 보내며
정민기

늦가을 길 사랑

차례

시인의 말

고래

바다 한가운데 분수가 솟아난다
순식간에 낙과하는 물
어선 하나 보이지 않는 빈 바다는
그저 푸른 침묵만 삼키고 있다
모과처럼 떨어진 물도 과연 썩을까
탐스러운 과일은 수분만 가득한데
물고기들은 어쩜 그렇게 좋아할까
외로움의 구름이 방황하고
물 꽃다발을 가져다주고 싶은 사람
아직 내게 없다는 것은 상관없다
첫 마음은 문득 별처럼 반짝이다가
날이 밝으면 금세 지워지는 것을
갑판에 앉아 하염없이 분수를 보는
어부의 눈빛이 물처럼 투명하다
쏟아붓는 정성에도 아랑곳하지 않고
기다림은 곧 물거품으로 사라진다
물빛에 흔들리지 않는 사람 없다
처절한 몸부림으로 이어지는 사랑
별똥별처럼 물이 쏟아지고 있다

거미

줄 위에서 오르락내리락하는 그들은 유목민
새벽이슬이 내리자
그들의 길은 뿌득뿌득 닦기라도 한 듯
하루 종일 별처럼 반짝거리고 있다
한 번씩은 자취를 감추는 방문자
솜뭉치를 가져다 놓고 홀연히 사라진다
대신 울어준 곡비의 눈물 항아리는
어느새 가득 차서
어둠 속,
긴 머리를 풀어 헤친 별처럼 찰랑거리고 있다
햇살이 연필처럼 깎여도 작아지지 않는 해
흑점이 유목민처럼 달라붙어 있다
바쁘다는 듯
아침 인사도 없이 이슬은 사라지고
그만 푸른 하늘의 긴 꼬리가 걸려
하루가 아쉽게도 저물어 간다
철새가 힘겹게 길을 내며 날아가고 있다

만추

서녘 하늘에 노을을 쌓고 있다
테트리스 하듯 무너져 내리겠지만
우선은 한동안 그 자리에 있어 다오!
허물지 못한 낡은 담장이라도
별을 쓸어 담듯 흘러가는 달의 빛
가득 차올라 곧 수문을 열어야겠다
단풍의 근황이 하도 궁금해서인지
등산복 차림으로 길을 나서고 있다
머리핀 같은 낮달이 껑충 떠올라
하늘 가운데 떡하니 박혀 있다
멀어지지 않고 꼭 그 자리에 있어
외로움을 몰랐던 동구 밖 느티나무
가지마다 가을이 주렁주렁 열려
보면 볼수록 탐스러움이 가득하다
바람은 선선하게 다가오는데
떠내려오는 유리병은 텅 비어 있다
이맘때 단풍처럼 울긋불긋 물드는
사랑을 입가에 촉촉이 적시고 싶다
하루에 한 번씩 마음에 들어오는
너라는 사람이 자꾸 그립고 그립다

낮달을 깎는 나그네

타향을 떠돌다 고향 길을 걸으며
낮달을 깎는 나그네가 있다
한 발짝씩 부지런히 옮겨가는 동안
허리가 부러질 듯 휘어지는 낮달
나무는 저마다 단풍을 털어 내놓는다
골목 끝에서 이별을 내동댕이치고
하염없이 빛 흘리는 가로등 따라
꺼억꺼억 외기러기처럼 우는 나그네
순대나 김밥처럼 잘린 사연이
낙엽처럼 거리에서 뒹굴뒹굴한다
가을밤 별처럼 반짝거리는 눈빛
가끔 헛도는 소문이 바람처럼 불어
뜨거운 찻잔에 입술을 댈 수가 없었다
사랑은 깎으면 깎을수록 두근거린다
몇 모금의 물이 혀를 적시는 것처럼
마음이 축축하게 젖어 말려야 한다
외면하지 않고 손짓하는 나무의
그늘에 들어가 푸른 마음을 나눈다
낮 동안 구름을 흘리며 달을 깎던
나그네의 노래가 이슬처럼 맺힌다

바람도 떠나지 못하는 가을

바람도 쉬 떠나지 못한다
이 가을, 비로소 넋 놓고 생각에 잠긴다
물빛 그리움 일렁거리고
밤길에 가로등이 빛을 내리고 있다
재개발 지역인 달은 반쯤 철거돼
희뿌연 안개로 가려놓았다
노을 한 잔 들고 저녁 하늘가에 서서
눈물로 슬픔을 버무리고 있다
앙상해진 나무를 가만히 바라보던
거만스러운 바람이 몸 둘 바를 모른다
들국화는 알 수 없는 향기를
콜록거리며 흔들리고 있다
길의 등에 업힌 낙엽이 바스락바스락
사랑의 엽서를 쓰는 계절이기에
해의 생각이 짧기만 하다

다만 익은 달빛이 푸념하듯 쏟아지고

출처를 알 수 없는 단풍이 물든다
정처 없이 떠도는
구름 한 마리를 본 적이 있다
별일은 없지만 별 볼 일 있을 것이다
첫 낙엽을 낳기도 전에 덜컥 물드는 나무
가을은 이별하기 미안하더라도
한 사람을 기억하느라 잠 못 이루며
별똥별을 흘리지는 말자
바람에 온몸을 부르르 떠는 나뭇잎
푸른 기운이 사라지고 물든다
아무 기억이라도 삽입해서 듣는 동안
새벽이슬에 눈시울 적시고 있다
환생하는 단풍마다 그저 아름답다
뜬금없이 외마디 비명을 지르며
날아가는 바람이 문득 스쳐 지나간다
그때마다 두근두근 억새의 마음
한숨 섞인 소리로 뒤적거리고 있다
소란스럽게 떠드는 낙엽 따라
잠시 바스락바스락 사랑을 잃는다
다만 익은 달빛이 푸념하듯 쏟아지고

내장사의 가을

단풍 하면 혈흔이 낭자한 것처럼
땅바닥을 물들이는 내장산이 아닐까
꽃처럼 울긋불긋 화려하게 물든
불심의 길에서 마음을 다잡고 걷는다
정경은 눈빛에 더 아름다움을 짓고
여인의 눈부신 치맛자락에 감싸인 듯
나도 모르게 정신이 혼미해진다
내장산 동쪽 기슭을 어슬렁거리며
거니는 남자는 멧돼지 한 마리 같은데
분산된 햇빛은 서녘에 노을을 만든다
바람이 불어오는 소리는 관음인가
처마 아래 물고기 한 마리로
헤엄치는 풍경은 불경을 뻐끔거린다
천년의 빛을 고스란히 이어받아 온
정기가 단풍 속에 깃든 듯 숙연해진다
단풍이 내장사 가는 길목 곳곳마다
절정의 목소리로 노래를 부르고 있다

주유소의 풍경

 곧 숨이 끊어질 것 같은 자동차의 옆구리에 호흡기를
연결한다 한순간에 연장되는 질기디질긴 목숨은 또다시
고속도로를 질주할 것이다 방금 가을 단풍놀이하던 자
동차가 겨울 눈꽃을 보러 힘차게 달려 나간다 주입된
연료 속에는 새 생명이 꿈틀거린다 이윽고 숨이 끊어지
기 직전의 자동차가 들어서고 있다 새로운 삶의 가능성
을 열어 놓은 듯 연료 부족 경고등이 켜진 채,

응급실 국물떡볶이 광명 사거리점

경기도 광명시 오리로,
광명 리더스 빌딩 1층에 자리 잡은
응급실 국물떡볶이 광명 사거리점

맛있어서 응급실에 실려 가도
책임 안 진다는 사장님,
쫀득쫀득한 떡볶이 떡과 메추리알
거기다 수제비에 만두까지
보름달처럼 알차게 채워진 국물떡볶이

양이 차지 않는다면
모둠튀김 세트까지 먹어도 먹어도
안 차는 양이라면
할 수 없이 응급실행(?)은 아니고

늦가을 길 사랑

단풍 불을 밝혀 들고 서 있는 나무
그 아래에서
나뭇가지 끝에 빗물을 묻혀
길면서도 짧은 편지 한 장 쓰고 있네
집배원 오지 않는 휴일이지만
선선한 마음으로 불어오는 바람 편에
등기 우편으로 부치려고 하네
늦가을 길 사랑의 향기 주고받으며
피어난 들국화 얼굴 환하게 빛나고
그리움으로 앓아누운 서녘의 노을
나의 발길은 국밥집으로 걸어가는데
까마득한 구름 사연 한 장 둥실거리네
온종일 빗소리로 통곡하는 늦가을이여,
산이 붉디붉어져도 부러움을 버리는
카페 창가에서 커피 향을 적시고 있네
가을비 주절주절 한동안 시를 읊으며
차디찬 마음을 가진 겨울을 기다리네
항구에 구름처럼 멀어지는 배가 있네

속으로 울음을 삼키는 하루

늦은 가을날의 낮달 으스러져
점잖은 신사의 모자처럼 떠 있다
단풍나무는 빨간 우체통처럼
우두커니 서서 바스락거리는 소식
한 움큼씩 날리며 시간을 보낸다
사랑도 잊고 빛을 나눠 주는 가로등
밤마다 눈시울 반짝거리는 별들
어두운 추억을 더듬어 가며
그리운 사람을 애타게 찾고 있다
사랑 하나만 바라보며 살아온 지난날,
비처럼 내리는 사랑의 낙엽을
밟으며 속으로 울음을 삼키는 하루
구름처럼 그리움이 뭉게뭉게 떠서
침묵을 삼켜가며 앞날을 꿈꾼다
한 잔의 사랑을 단숨에 마셔버리고
누군가의 마음을 촉촉이 적신다

흥겨운 멜로디 없이 춤을 추는 억새를

선사 시대 원시인이 먹은 소라 껍데기 같은
크루아상이 가지런히 진열되어 있었다
크로마뇽인의 머리뼈 같은 로띠번을 뜯어 먹었다
청춘이 되기 전에 서서 내리는 비가 걸어왔고
우리는 낮달 움집 안으로 서둘러 들어갔었다
휴식 시간을 가지기도 전에 찾아온 평화
변기 위에서 생각하는 사람처럼 앉아 있고 싶었다
구름을 펼쳐 놓고 써 놓았던 다디단 연애편지가
밤사이 소란스럽게 반짝반짝 빛나고 있었다
사과처럼 혈색 좋은 여자가 길을 달려갔었다
자라는 엉금엉금 기어가면서 잘 자라고
흥겨운 멜로디 없이 춤을 추는 억새를 바라보았다
환한 대낮에 읽지도 않은 책을
밤에 가로등 밑에서 끝까지 다 읽는 동안
새벽바람이 꾸역꾸역 불어오고 있었다
추운 입김이 어디선가 새처럼 날아오기도 했었다
잘 자라고 횃대에 밝힌 혼불을 다정하게 꺼주었다

눈꺼풀에 낙엽처럼 잠이 쌓이고

눈꺼풀에 낙엽처럼 잠이 쌓이고
내 그리움은 가로등처럼
빛을 질질 흘리며 잠에 빠져든다
어디로 가더라도
막다른 골목 끝만 아니면 된다고
간절하게 바람이 불어오는 날이었다
비는 내리다 그치기를 밥 먹듯 하고
손가락으로 가리킨 곳에는
철새만 한 시절이 추억 속에 아른거린다
가을이 소리 없이 떠나는 이 거리
헌 옷처럼 낙엽이 바스락바스락 떨고
항구의 사랑은 출렁거리며
기다림으로 흘러 들어가고 있다

아침을 부르는 여명

희끄무레한 새벽의 여명이
아침을 부른다
닭이 풀어놓은 울음소리 먼 데서 들려
혼자 국밥을 말아 먹는 사람처럼
낙엽이 바스락거리며
울음을 꾸역꾸역 삼키고 있다
새벽에서 아침으로 흘러가는 풍경 소리
경쾌한 저 발자국은 허공에 찍혔다
애인도 없이 벤치에 앉아
차갑게 구시렁거리는 바람을 맞는다
어지럽힌 먹구름을 치우고
얌전히 침묵하고 있는 하늘 아래
아침이 슬그머니 옆자리에 앉아 있다
정처 없이 떠돌아다니는 바람은
아직 따스한 한마디를 듣지 못했다
소년 소녀 가장이 책가방을 메고
학교에 가는 아침이 재잘거리고 있다

낙엽이 웅크리고 잠을 청하는 골목

쓸쓸한 바람이 기웃거린다,
낙엽이 웅크리고 잠을 청하는 골목
외로운 마을 길을 걷고 나서 문득
올려다본 하늘에는 구름 몇
두둥실 떠오른 생각이 가볍기만 한데
닻을 내리고 너울처럼 부는
바닷바람을 맞는 어선을 물끄러미
바라보는 눈빛이 물들고 있다
잎새들은 한꺼번에 날아가고 강물은
금세 메말라 바닥이 보인다
부르고 싶어도 부를 사람이 없다는 것
소식도 없이 가을은 떠나가고
추운 생각만이 여기저기 매복해
온종일 두리번거리고 있다
잠시 기억 한 잔 마시는 동안
아파서 입원한 꽃이 퇴원하는 길
그녀의 향기는 여전히 부드럽다

우포 횟집

경상남도 창녕군 대합면 임불길,
꺼이꺼이,
처절한 철새 울음소리 따라
우포 횟집 들어섰더니
나이 지긋한 노신사 한 분이
자리 하나를 떡하니 차지하고 앉아
매운탕 한 그릇 놓고 이슬 한 병
잔에 따라 서녘으로 기울인다
맑은 하늘 한 잔 가득 채운 낮달
올봄 먼 길 떠난 할머니가
잔 부딪치려고 들고 있는 것 같다
단풍도 눈시울이 붉어지는 듯
울긋불긋 서로서로 물들어 있다
우포늪 대대제방 억새 떼로 날아들어
마음 어루만지는 춤사위 보여준다

손수레가 달려간다

방금 손수레가 내 앞을 스쳐 달려간다
늦가을인데도
땀을 뻘뻘 흘려서 폐지가 될 정도로
한참 동안 달려간다
시야에서 사라지기 전에
결국 폐지가 되어 땀에 흠뻑 젖는다
폐지가 사람을 싣고 달려간다
바퀴 밑에 들어간 낙엽이
화장지가 되어 빠져나오고 있다
해가 돌돌 감긴 햇살을 마구 부려 놓는
하늘 아래 손수레가 달려 나가고
기억은 한순간에 납작해지고 만다
부푼 기대보다는 걱정이 많은
세상 속에서도 힘찬 발걸음으로 전진한다
길바닥에는 뽑힌 햇살이 날리고 있다

등대

낚시꾼은 바다만 하염없이 바라보네
수평선 너머에 그리움이 있다는 듯
푸른 눈빛을 순식간에 흔들리게 하고
통통거리며 떠나는 어선처럼
바다의 마음을 좌우로 마구 흔들리네
하늘에는 낮달이 바가지처럼 엎어져
시린 물을 쏟아버릴 것만 같아서
앙상한 그리움만 남아 서 있는 나무
밀물과 썰물로 시간이 움직이고
갈팡질팡하는 갈매기 몇 마리
정박한 어선의 닻처럼 고정된 울음
푸른 기억 속에 물거품으로 사라지네
하늘 너머 우주에도 낚시꾼이 있는 듯
반짝이며 헤엄치는 수많은 별 물고기
짜디짠 사연이라도 늘어놓자마자
멸치처럼 바싹바싹 말라가고 있네
바다를 물끄러미 보는 등대 한 그루

수정 스테이 펜션

전라남도 고흥군 금산면 거금일주로,
고래 등 같은 거금도의
연소 해변이 바라다보이는 곳에
아늑하게 자리 잡은 수정 스테이 펜션

바다가 눈앞에 아른거리면서
파도로 다정하게 손짓하고
구름도 가만가만 머물다 가는 그곳
복층으로 되어 오션뷰가 최고!

노래방 기계가 마련되어 있어서
고래 등 위에 우뚝 서서
고래고래 마음껏 노래를 부르고 있다

철썩철썩,
바다가 빨리 마이크를 넘겨주라고
저리도 철썩거리면서 성화인데

구름을 타고 날아간다

구름을 타고 날아간다, 저 바람
온데간데없이 사라져 보이지 않는다
탄식하지 않고 허기에 진 부푼 구름
두둥실 헤매는 하늘이 시퍼렇게 질려
강물처럼 아주 끝없이 흐를 것 같다
꿈도 가지지 않고 떨어진 낙엽은
아마 하나라도 찾기 힘들 것이다
그 엽서를 바스락바스락 읽는 바람
사랑으로도 마음의 간을 맞출 수 있다
늦가을 길 위에서 마주친 사람들
그동안 재배한 머리카락을 수확하고
이발소에서 걸어 나오는 남자
의기양양한 저 발걸음에 인생이 담겨
단풍 같은 색채 없이 뚜벅거린다
혼자는 꿈에서도 맛볼 수 없는 사랑
둘이 마주 보아야 비로소 들려오는
웃음이 어디론가 떠나려고 하기에
언제 어디서나 위안이 될 수 있다면
바람 또한 손바닥에 내려앉는다
새벽을 가득 담은 싱그러운 이슬처럼

그 눈망울이 맑고 순수하게 빛나고
저 바람, 다시 구름을 타고 날아간다

눈 속에 꽃이 피어 있다

눈 속에 꽃이 피어 있다
현미경을 만나는 순간 눈은 사랑에
그만 풍덩 빠져버려서
마음에 있는 꽃을 드러내 놓았다
한가한 추위는 거북이보다도
더 더딘 걸음으로 지난 추억을 걷는다
가려운 구름의 등을 마구 긁자
부스러기가 때아닌 벌 떼처럼
셀 수 없이 날아다닌다
긴 벤치에 앉아 낮을 야금야금
고양이 한 마리처럼 씹어 먹는 동안
기다리던 저녁이 오고
드디어 밤이 반짝거리고 있다
사랑이 식어가듯 눈 녹으면
순간, 꽃도 녹겠지만
마음은 고스란히 남아 있을 것이다
슬픈 얼굴로 앉아 있으니
해가 지는 듯 날이 어두워진다
어느덧 밤이 피어나고
눈의 꽃도 오래된 기억 속으로

서서히 녹아들고 있다

완도 바다

아침부터 까마귀가 시끄럽게 울어도
저녁까지 까치가 정답게 울어도
가야만 한다, 저 물결치는 완도 바다

완도 군수 보란 듯이
청해진을 장악하고 무역이나 해볼까,
길 위에서 부르는 나의 노래가
바다 위 어부들의 귓가에 떨어질 때
어느새 해는 뉘엿뉘엿 지고 있다

겨울이 다가와도
완도 바다는 마음 따스하게 건네준다
저 물결치는 그리움을

잠시 잠깐이라도 놓친 적 없는
저 수평선 어선이 떠다니는 레일이여

완도 맛집 모래뜰

전라남도 완도군 신지면 명사십리길,
쌀을 씻듯
파도에 씻기는 모래 소리가
십 리 밖까지 달려간다는 명사십리의
해양치유밥상 1호점이며
대표 모범 음식점인 모래뜰
한식 전문점답게
우리네 한식이 한 상 가득 차려진다

숯불갈비에
솥밥 정식이며 낙지 정식
입맛 따라서 먹는 별미
밤하늘의 별이 이보다 맛있을까, 싶다
뜬금없는 생각이 반짝반짝

다시마에 미역귀
톳까지 들어앉은 바다 솥밥에
푸른 완도 바다가 입 안에서
철썩거리는 신비로운 맛에 빠져든다

매콤한 소스를 만난
낙지의 고유한 쫄깃함에 불맛을 더해
고급스러움이 맛으로 느껴지는
낙지덮밥은 낮달 그릇에 먹는 듯!

바람 소리

창밖에서 안으로 들어오려는
집요한 바람 소리
낙엽이 강강술래 하듯
마당에서 빙글빙글 돌아다니고 있다
매몰차게 입 다물고 있는 창문
도저히 열릴 것 같지 않은데
바람은 애절하게 불어와 울먹인다
그러거나 말거나
아랑곳하지 않고 벽과 벽 사이
입 다물고 있는 창문
방에 담겨 어깨를 들썩거리는 사람
물 흐르듯 쉼 없는 바람 소리
낙엽에 매달려 애걸복걸하고 있다

구석

회의라도 하려는지
먹구름이 한자리에 몰려든다
머리카락이 잘려 나간 듯
순간 빗줄기가 하소연을 퍼붓는다
구석으로 한꺼번에 몰려
바스락바스락 떨고 있는 낙엽
그들은 꼬리를 달고 야생이 된다
쓸쓸한 달빛만이 내려오는 밤
반짝반짝 짖는 별의 무리를 본다
구석으로 몰린 지저분한 별
기다리라는 한마디에 우뚝 멈추고
시간이 먹물을 뿌리고 있다
쪼그리고 앉은 개 한 마리,
휘파람 소리에 슬슬 움직이지만
구석으로 몰린 지 이미 오래

소

소가죽 구두를 신고
진짜 소처럼 무뚝뚝하게 걸어간다
저 얼룩진 세상의 타이어,
계란 프라이처럼 둥그런 세상
혀는 복잡한 거리의
빽빽한 소음을 맛보고 있다
산에 우글우글한 나무에 파고든
온갖 새소리여
황토색의 소들이 우는 외양간
분수도 모르는 사람들은 생각 없이
틈만 생기면
그 좁은 곳에 졸음을 구겨 넣는다
고요한 먼지가 날아다니고
그들의 울음소리는
천 년 동안
공기 중에 물결처럼 넘실넘실

계수나무에 기대어 사랑을 앓는다

하트 모양과 비슷한 잎 지고 난
계수나무에 기대어 사랑을 앓는다
마음에 아로새긴 그대 한 권,
심장은 날이 갈수록 단단해진다
세월이 약이 되리라고는 생각하지 않는
별이 그대 눈동자에 반짝거리고 있다
벤치가 된 나무에 앉아 있으니
마음이 신경 쓰이도록 삐걱거린다
별똥별이 떨어진 자리에 별 없듯
그대 고이 간직한 마음에 그대가 없다
어디론가 자꾸만 흘러가는 구름
낙엽은 바람에 자리를 옮기고 있는데
나는 도저히 마음을 옮기지 못한다
머리카락 같은 햇살 막 쏟아지는 오후
태아처럼 그대를 마음에 넣고 있다

화순 카페, 계수나무 토끼 한 마리

전라남도 화순군 화순읍 진각로,
밤마다 달이 뜨면
토끼가 방아를 찧고 있을 듯한
계수나무 토끼 한 마리

토끼가 정성껏 만든 것 같은
딸기 설기 케이크와 단호박 설기 케이크
입에서 눈처럼 살살 녹는다, 녹아

쌀의 단맛을 살리고 살려 만든
수제 식혜 한 잔에
갈증이 꽁지 빠르게 달아난다, 달아나

휠체어 타고 가는 사람

휠체어 타고 가는 사람이 있다
똑같이 걸어가는 거라고
인식한 사람들의 눈이 다른 곳을
물끄러미 바라보기만 한다
한 젊은 남자가
굴러가는 바퀴로 인식하고
뒤에서 천천히 밀어 주고 있다
한결 수월하게 굴러가는 휠체어
고마움의 눈빛이 쏟아져
햇살보다 눈이 부신 날이다
절반의 슬픔이 두 배의 기쁨으로
천천히 세상 밖으로 굴러간다

불 꺼진 포장마차 앞에서 튀김우동 사발면 먹
기

어둠이 달빛 켜고
무엇인가 찾기라도 하듯
두리번거리는 늦은 밤

불 꺼진 포장마차 앞에서
튀김우동 사발면을
나무젓가락으로 휘, 저어 먹는다

포장마차 앞
24시 편의점은
드나드는 사람 별로 없어
조용하기만 한데

위장이 부풀도록
꾸역꾸역 튀김우동을 밀어 넣는다

달밤

달이 환한 빛 꽃을 피우고 있을 때
문득 그대 얼굴 떠올라
쉬이 잠 못 이루고 바스락바스락
낙엽처럼 자꾸만 뒤척거리고 있다
밤바다에서 다 건지지 못한 별
한참 발 동동 구르며 출렁이는데
간절한 어둠을 뚫고 들려오는
닭 울음소리는 못 찾고 헤매고 다닌다
난처한 생각들이 새처럼 날아다니고
지저귀지도 않는 사랑은 깃털마저
땅바닥에 함부로 떨어뜨리지 않는다
고요한 이 밤의 달빛을 흐리게 하는
안개 같은 생각이 스멀스멀 기어간다
재촉하지 않아도 멀어지고 있지만
그나마 느리게 가라고 재촉하지 않는
사랑의 꽃이 피어나 얼굴 환하다

임연수어구이

쥐노래밋과
그는 임씨 성을 가졌다
이름은 연수

사람의 성과 이름을 가졌으면서
어쩌자고 바닷물고기로
반건조 손질이 되어
프라이팬에 노릇노릇 구워지는가

몸은 하나의 큰길로 이어져
꼬리지느러미 쪽에서
두 갈래로 갈라져 나간다

겨울을 부르는 비

차갑고 물렁물렁한
먹구름 속에서 티격태격 다투며
출소할 날만을 기다리던
갇힌 비

먹구름 발코니에 서서
각박한 현실의 앞뒤를 가리지 않고
겨울 전선으로 줄지어 뛰어든다

생산된 물량은 줄어들고
만들어야 할 재료들은 텅 비어 있다

순환되는 세계의 색색이 커튼은
그저 아름다운 사치에 불과한 것인가

둥그스름한 마음은 결국
엉뚱한 사람 앞에 불시착하는데
손가락을 움직이듯
까딱거리는 키다리 나무

참으로 시리다,
얼음이 되어가는 것처럼

순천 건봉 국밥집

전라남도 순천시 장평로,
35년이 넘도록 2대째 이어온 전통의
따끈따끈한 맛의 자부심이 끓는
순천 건봉 국밥집

국밥 연구가의 육수 향기에 이끌려
들어온 손님이 금세 한 그릇 비우고
국밥집을 하나둘 빠져나가며
기가 막힌 맛이라면서 엄지를 치켜든다

건봉국밥, 머리 국밥, 내장국밥,
돼지국밥, 순대국밥, 막창 국밥
입맛 따라 골라 먹는 재미가 있다

순천 아랫장의 모든 따스함이
가득 스며드는 곳
해도 국밥 한 그릇 비우고 싶은지
햇살 손 길게 내밀고 있다

작은 사슴 섬, 소록도

난파선 한 척처럼
부서지고 뒤집힌 마음을 파도가
연신 철썩거리면서 다독여 주는
작은 사슴 섬, 소록도

한센인들의 슬픔을 달래주셨던
마리안느 그리고 얼마 전 천사가 되어
하늘로 홀연히 떠나간 마가렛

오래전, 나는 그 섬 중앙공원을 걸으며
한센인들의 마음 한 권 펼쳐
눈동자에 고스란히 새기고 또 새겼다

모슬포 횟집 부두식당

제주특별자치도 서귀포시 대정읍 하모항구로,
제주도 특대방어회가 한 상 푸짐한 곳
모슬포 횟집 부두식당

한잔 귀에 걸칠 정도로
대낮부터 거나하게 취한 모슬포
다짜고짜 철썩,
해변의 뺨따귀를 때린다

특대방어회 한 접시와
풀잎에 맺힌 이슬을 마시면서
뱃사람 둘이 통통거린다

날이 안 좋아 항구에 묶인 어선 대신
만선을 기대하면서
제 몸 인생 바다로 출항하려는 듯

46

맹골수도 바다 마을로 떠난 아이들

맹골수도 바다 마을이 살기 좋다는
금시초문인 소문을 어디에서 들었을까
유채꽃 사랑스럽게 피어나는 봄날,
꽃처럼 노랗게 생긴 리본을
나뭇가지에 묶어 놓고
짧은 편지를 문자로 남기고 떠났을까
꽃밭에는 꽃들이 모여 살 듯
바다 마을에는 바다가 모여 살고 있을 텐데
제대로 된 이름 짓고 살 수 없는
그곳은 뭐 하러 물어물어 찾아갔을까
자화상 같은 짝꿍 옆에서
'기다리라'라는 소리만 애타게 듣고 있다
봄에 떠나서 해마다 그날이 오면
별빛에 물든 나비 같은 리본이 묶어진다
팽목항 방파제 끄트머리에서 바라다보이는
저 수평선 그 너머 바다 마을이 출렁거리고 있을까
"어머니의 양수 같은 그 속에서 다시 태어나라"
메아리만 파도가 삼키고 또 삼키고 있다
세상의 온갖 바람을 다 싣고
무거워 더는 버틸 수 없어서 땅바닥에 떨어진 꽃잎

침몰한 배처럼 바닥을 뒹굴고 있다
한 번이라도 부르고 싶어도
미안하고 죄송스러운 마음에
함부로 부르지 못한 그 이름이여,
낚시꾼이 되어 물음표를 던진다
"어쩌려고 그 험한 바다 마을로 떠났니?"
되받아치는 물음표
"왜 우리를 지켜주지 않았나요?"
우리는 아무 대꾸도 못 하고
방어 한 마리처럼 방어만 하고 있다

도니고니 수산

전라남도 고흥군 도화면 땅끝로,
부부가 연리지처럼 손잡고
함께 운영하는 도니고니 수산

어디로 가든지 연리목이 되어
함께 다니는 부부의 새우 양식장

착한 새우 가격에
놀란 나머지 그만 입이 떡 벌어진다

굽든지 튀기든지 알아서 하라고
새우가 허리를 굽혔다가 펴는 순간,

굽기도 하고 튀기기도 하고
손님들의 생각이
새우처럼 펄쩍 뛰어오르고 있다

은행나무 길

은행잎 떨어진 길 걸으니
옐로 카펫 위를 걷는 듯 황금처럼
마음에 색이 물드는 것이다
차가운 바람이 살을 발라 먹고
앙상한 가시만 남은 물고기 같아서
사람은 안쓰럽게 생각하는 것이다
불어온 바람에 탄력을 가지면서
통쾌하게 떠올라 날아다니는 은행잎
본능적으로 가벼움이 꿈틀거리는 것이다
리듬이라는 감각으로
마음껏 바스락거리는 것이다
생각이 침투하지 못하는 은행을 밟고
그대로 지나가는 것이다
추억은 하나둘 터널 속으로 사라지고
반대쪽으로 껍데기만 나오는 것이다
헐거워진 구름만 두둥실 떠 있고
지독한 그리움만 굴러다니는 것이다
사랑 제조법을 모르기에
바람에 날린 사랑을 줍는 것이다
몸은 아무렇지 않으면서 마음이라도

가여워지지 않기를 바라는 것이다

낙엽이 내린다

낙엽이 내린다
그것도 눈처럼 송이송이
날리면서 내린다
잔뜩 구겨져 으스러지면서
발밑에서 바스락바스락
녹으며 흔적도 없이 사라진다
그 짧은 비명 속에
한동안 갇힌 사람들이
무사히 빠져나와
한숨을 밥 먹듯 쉬고 있다
바스락거리던
울음소리는 어디에서 헤매나, 보이지 않는
쓸쓸한 바람만이
땅바닥을 온종일 쓸어 간다

울음 많던 그 여자, 울음보따리 풀어
한꺼번에 쏟아놓고
이룰 수 없는 사랑을 버리지 못해
차마,
인어공주가 되려고 기어이 갔을까

늦가을 하늘 감상

가만히 하늘을 바라보아
지그시 눈을 감고 생각해 보아
구름 벤치 두둥실 길 잃은
저 마른 강바닥 같은 하늘을 향해
햇빛 가득 담은 항아리 눈부신
저 기다림 끝에 눈물처럼 번진 노을
허물로 내 옆에 남아 있어서
여전히 창창한 청춘을 노래하고
가면 갈수록 날은 덧없이 추워
철새들의 날갯짓 속에 파묻히는
가을이 가는 길목에 물든 푸름

염포 몽돌 해변

전라남도 고흥군 봉래면 염포 마을,
소가 등에 지겹도록 달라붙는
쇠파리를 쫓느라 꼬리를 마구 흔드는
한가로운 여름이 금세 가고

한적한 바람만이 쌀쌀맞게 구는
늦가을 몽돌 해변을
강아지처럼 어슬렁거리면서 산책한다

다저녁때가 되어
파도가 몽돌을 부딪치면서
철썩철썩, 쌀 씻는 소리
고향의 어머니 생각이 저절로 난다

몽돌에 파도처럼 널브러져
큰대자로 누우니
하늘 속으로 빨려 들어가는 것 같다

한 마리 구름처럼 두둥실두둥실

서현역 나로도 치킨

경기도 성남시 분당구 서현로,
서현역 근처를 불어 다니는 바람이
분당에 나로도 치킨이 있다고?
이것이 실화냐는 듯
두 눈이 잔뜩 들떠서 휘둥그레진다

분당 사람이라면
누구나 알 정도의 맛집 나로도 치킨

프라이드에 양념치킨까지
순살치킨 맛에 반해
한참 파닥파닥 뛰어다니는 파닭

닭의 울음소리가 발원한 곳을 찾아
전국 방방곡곡을 돌아다니다가
겨우 찾아낸 전라남도 고흥군 나로도

비스듬히 기울어져
프라이드처럼 빛바랜 낮달
양념치킨처럼 골고루 버무려진 단풍

참을 수 없는 맛에
얼었던 마음이 녹아내리고 있다

망초꽃

망초꽃 흐드러진 가을 들녘은
학창 시절 도시락 뚜껑 속
흰쌀밥 위에 올려진 달걀부침
아이들은 소꿉놀이하다가
서로 토라진 마음을
망초꽃으로 화해하기도 한다
시간을 돌려 추억으로 들어간다
수업 시간 몰래 까먹는 도시락통
양은으로 된 그리움이 자리에 모인다
가을은 점심시간이 되기 전에
양은 도시락을 까먹는 교실이다

산사의 저녁

하늘 저 끄트머리 어디쯤
어둠의 발원지가 있어서인지
스멀스멀 기어 나와
파도처럼 철썩거리는 어둠의 물결
별의 빛도 허둥지둥 나와
반짝반짝 졸린 눈 비비고 있었다
여승의 타종에 깜짝 놀란
종소리가 사슴처럼 튀어나온다
틀어 놓은 수화기에서
계곡물처럼 졸졸 흘러 내려오는
늙으신 어머니의 목소리
목차 없는 본문만 주절주절 늘어놓아도
변함없이 잊지 못할 그 이름, 어머니
누가 부르지 않아도 손맛 하나는
두 손에 모두 고스란히 스며들었지
타종 소리처럼 때로는 엄하셨다
불어온 바람이 회를 뜨는 것 같은
능숙한 풍경 소리가 살살 녹아
귓속으로 바람과 같이 빨려든다
떠오른 달이 방아쇠를 당기자

순식간에 달빛이 발사되고 있었다
몸에 찌든 피곤이 자비스럽게도
구름이 되어 물러가고 있었다

새벽녘에 일어난 남자

가뭄에 어둠이 마르고 있는 새벽녘
잠자던 남자가 일어나서
잠시 물을 마시러 거실을 가로지른다
주방에서 물 한 컵 마시느라
고개를 뒤로 젖히는 순간이었다
'꼬끼오!' 사람의 목소리는
좁은 목구멍 속 벽면에 달라붙어
겨울잠에 빠져들기라도 하겠다는 듯
움직임을 전혀 가지고 있지 않다
그럴수록 어둠은 바닥이 드러나고
아침이 두리번거리면서 기어 나온다
닭의 울음소리를 목구멍에 넣은 채
다시 잠자는 남자의 목구멍으로
사람의 목소리가 슬그머니 기어간다
폭신폭신한 이불 안으로 들어가듯

쥐

길거리 떠도는 고양이를 피해
막무가내로 들어온 쥐
다리 속에서 갉아 먹는 듯 저리다
무 같은 맛은 아예 없는데
그저 갉아대는 재미 그거 하나?
밀가루 반죽하듯 주물러도
밖으로 금방 나오지 않는 집요한 쥐
자물쇠를 채워놓아야 하나 보다
무표정한 다리가 무슨 죄
오히려 안에서 자물쇠를 채웠는지
도저히 풀리지 않는 쥐
어쩌다 겨우 풀려 어디로 갔나
찍찍거리지도 않는다

나로도 맛집, 서울식당

전라남도 고흥군 봉래면 나로도항길,
삼치 탕수가 상큼하게 맛있는
나로도 맛집, 서울식당

갈매기 노랫소리처럼
명필의 문장 같은 맛이 끼룩거린다

입 안에서 살살 녹는 삼치회
노릇노릇 구워진 삼치구이
감칠맛이 살아 있는 삼치 조림
밥 한 그릇 금세 뚝딱

한 상 가득 푸른 바다가 담겨
마음 철썩거리고 있다

떼쓰지 않는 철새 떼의 시간

철새는 떼로 몰려다녀도
떼쓰는 것은 한 번도 본 적이 없다
꾀병을 앓는다거나
무리에서 한 마리도 벗어나지 않는다
물 위에 내려앉는 시간을
떼 지어 지각하는 일은 있어도
내 눈의 시야 안에서
구름처럼 뭉게뭉게 떠다니고 있다
낯선 곳에 불시착해도
당황하지 않는 기색이 눈빛에
서서히 차오른다
때가 되어
모여 앉아 물고기를 부리로 건져 먹는
평화롭기만 한 시간이
물처럼 유유히 흐르고 있다
낮달이 떠 있는 가볍고 투명한 물 위
철새 떼가 속삭이는 소리
차가운 물빛에 애써 흔들린다

여수 엑스포 앞, 카멜리아 호텔

전라남도 여수시 동문로,
여수 엑스포 앞, 카멜리아 호텔
동백 꽃향기에 피곤한 몸 스며들어
단잠에 빠지면 피로가 해소될까
기쁨이 아니라도
어떤 가여운 슬픔과 함께 피로를 나눌 수는 없나
옆 동네 갈대밭을 찾는 철새 떼의 수로를
이쪽으로 바꾸면
창밖 지저귀면서 흐르는 물소리를 들을 수 있겠지
깃털처럼 떨어진 가난했던 지난 시절을 잊고
머뭇거릴 시간도 없이 겨울에 펑펑
내리는 눈으로
한 모금의 연인을 물끄러미 바라보면
저녁마다 해는 물구나무를 서는 듯 거꾸로 졌다
낮 동안 푸른 말을 철썩거리던 여수 밤바다는
먹물을 구정물처럼 뒤집어쓴 듯 조용하다
모래처럼 마음 서걱거리면서 잠자는 호텔 방
동백꽃에서 떨어져 나온 난민 같은 향기가
스멀스멀 기어서 문틈으로 들어오고 있다
밤하늘에 찍힌 별은

누군가의 한없이 목마른 발자국인가

늦가을 길 사랑

발　행 | 2023년 11월 29일
저　자 | 정민기
펴낸이 | 한건희
펴낸곳 | 주식회사 부크크
출판사등록 | 2014.07.15.(제2014-16호)
주　소 | 서울 금천구 가산디지털1로 119, SK트윈타워 A동 305호
전　화 | 1670 - 8316
이메일 | info@bookk.co.kr

ISBN | 979-11-410-5530-1

www.bookk.co.kr
ⓒ 정민기　2023